Marie Laforêt

100% végétal et gourmand

TOUT BEAU TOUT BIO

Dans la même collection

- Peindre et décorer au naturel, tome 1
- Peindre et décorer au naturel, tome 2
- Le ménage au naturel
- Créations au naturel
- Instruments de musique en papier et carton
- 100 % végétal et gourmand
- Déshydrater les aliments
- Se nourrir au naturel
- La cosméto' au naturel
- Mon potager tranquille (hors collection)
- 100 recettes au naturel (hors collection)
- Chambres de bébé au naturel
- Petit végétarien gourmand
- En forme au naturel
- Les algues au naturel
- La boulangerie au naturel
- 25 huiles essentielles pour (presque) tout faire
- Zéro pesticide dans mon jardin

5 rue Gaston Gallimard Paris VIIe
www.editionsalternatives.com

Marie Laforêt

100% végétal et gourmand

ALTERN
ATIVES

sommaire

introduction

Commencer à se demander si l'on doit diminuer ou supprimer la viande et les produits animaux de son assiette, par éthique, souci écologique ou pour sa santé, c'est se retrouver confronté à de nombreuses autres questions. Comment s'y prendre ? Comment bien équilibrer ses repas ? Quelles conséquences pour son budget, quelles contraintes supplémentaires ? Cela peut-il occasionner une gêne ou un isolement en société ? Le plaisir de manger sera-t-il au rendez-vous ?
Ces questions sont tout à fait légitimes dans un pays comme la France où les végétariens et végétaliens sont peu nombreux et peu représentés.

On commence à voir apparaître dans les médias des articles et émissions sur le végétarisme, véganisme ou simplement sur la consommation de viande. Ils révèlent une prise de conscience collective face à la nécessité de changer nos habitudes alimentaires même s'ils se contentent souvent de poser des questions, sans apporter de réponses à ceux qui voudraient manger autrement, et continuent de répandre des mythes dépassés : « végétalien = carence », « enfant végétarien = danger », etc.

Récemment, dans un magazine estampillé « écolo », on pouvait encore lire que les végétariens et végétaliens avaient un « régime alimentaire triste à pleurer », preuve que les clichés ont la vie dure y compris auprès d'un public a priori éclairé sur ce type de problématique !

Nous ne parlerons pas ici de régime alimentaire, mais de cuisine et de gourmandise parce que le végétal est une cuisine à part entière, une gastronomie, qu'il convient de découvrir et qui recèle de nombreux trésors.
Souvent on demande aux végétaliens : « Mais qu'est-ce que tu manges ? » Comme si sans viande, poisson, œuf, ni produits laitiers, il ne resterait plus rien ! Or dans la cuisine, le végétal est roi et c'est dans ses innombrables variétés de légumes, de fruits, de céréales, de légumineuses, de plantes et épices que toutes les cultures culinaires piochent leurs ingrédients favoris.

Pour vous donner un éventail large de ce que peut être la cuisine bio et végétale, vous trouverez dans ce livre des recettes simples, pour tous les goûts et toutes les occasions, à déguster en solo ou à partager en famille ou entre amis. Nous verrons ensemble comment végétaliser vos plats préférés à l'aide d'ingrédients « magiques » et de petites astuces surprenantes, mais aussi comment personnaliser les recettes de ce livre pour créer vos propres menus végétaux et gourmands.

végétarien

Un végétarien ne consomme aucune chair animale (pas de viande, poisson ou fruits de mer, ni gélatine).

végétalien

Un végétalien ne mange aucun aliment d'origine animale, c'est-à-dire aucune chair animale ni aucune sécrétion (œufs, laits et produits laitiers, miel).

vegan

Un vegan ne consomme aucun produit d'origine animale.
Il a un régime végétalien, mais n'utilise pas de fourrure, cuir, laine ou soie. Il ne recourt pas non plus à des produits participant à l'exploitation des animaux, comme les produits cosmétiques ou ménagers ayant été testés sur des animaux.

stop aux idées reçues

Le mythe de la carence en protéines

À l'éternelle question posée aux végétaliens, « Mais où trouvez vous vos protéines ? », la réponse est : « Partout ! » L'idée que les protéines végétales « incomplètes », en opposition aux protéines animales « complètes », ne nous permettent pas de combler nos besoins est fausse. Malgré le démenti de certains nutritionnistes, assurer son apport en protéines grâce à une alimentation végétale est très simple.
Une protéine est construite avec des acides aminés. Si l'on prend l'image d'une maison (la protéine) bâtie avec des murs (les acides aminés) il faut que tous les murs fassent la même taille pour que la maison tienne debout. De même, il faut une même proportion d'acides aminés pour former une protéine.
Les animaux ont déjà formé leurs protéines à partir de leur alimentation (végétale), donc en mangeant leur chair on a déjà des protéines contenant les acides aminés en proportion égale.

Chez les végétaux, ces acides aminés sont présents dans des proportions différentes.

Les végétaux, des aliments riches en protéines

Nous savons aujourd'hui que notre corps, cette machine incroyable, sait parfaitement comment s'y prendre pour reconstruire ses protéines à partir de celles d'origine végétale ingérées dans la journée.
Les protéines se trouvant abondamment dans la plupart des aliments végétaux, si nous mangeons de manière variée et en quantité suffisante, nous ne pouvons pas en manquer. Certains produits végétaux contiennent même déjà des protéines « complètes » comme le quinoa ou le soja.
Les carences en protéines s'observent principalement chez des populations sous-alimentées, mais le mythe des végétariens/ végétaliens carencés en protéines véhiculé par les médias et certains professionnels de la santé, a la vie dure. Pourtant nos sociétés modernes sont en réalité victimes du problème inverse : nous consommons trop de protéines ! Alors pourquoi tant insister sur la nécessité de consommer des produits animaux à chaque repas pour assurer l'apport journalier en protéines ? Et pouvons-nous faire confiance aux nutritionnistes invités sur les plateaux de télé quand ceux-ci travaillent comme consultants pour l'industrie agro-alimentaire ?

On a besoin des produits laitiers pour leur calcium

Le calcium se trouve autant dans les végétaux que dans les produits laitiers, qui sont loin d'en être la source la plus intéressante. En effet, ces derniers sont très riches en protéines, et de nombreuses études ont mis en évidence le fait que consommer trop de protéines aboutit à une perte du calcium osseux... ce qui est l'inverse de ce que nous recherchons!
Pourquoi le calcium est-il aussi important? Parce qu'il nous aide à garder des os denses et solides. Et pourquoi insister sur les enfants et les personnes âgées? Parce que les premiers construisent leur capital osseux et que pour les secondes, la densité osseuse diminue et les risques de fractures augmentent, surtout pour les femmes. Une fracture de la hanche peut être mortelle ou sérieusement invalidante.
Pourtant les scientifiques soulignent aujourd'hui que consommer une grande quantité de calcium n'est pas la réponse à l'ostéoporose (les os deviennent poreux et cassent plus facilement). D'autres facteurs entrent en jeu, comme notre système immunitaire, les hormones, la vitamine D (qui nous aide à fixer le calcium), notre hygiène de vie (tabagisme, stress, consommation de caféine...).
L'OMS met même en évidence le «paradoxe du calcium»: les pays où l'on en consomme le plus sont ceux où il y a le taux le plus élevé de fractures de la hanche.
Les produits laitiers auraient donc un effet plus néfaste que bénéfique pour nos os et notre santé. L'intérêt de consommer de grandes quantités de calcium est remis en cause par la communauté scientifique.
On continue pourtant de nous inciter à en consommer à chaque repas à grands coups de publicité ou «d-informations» sponsorisées par... l'industrie laitière.
Les produits végétaux riches en calcium sont le tofu, les laits végétaux enrichis, le tempeh, la mélasse, le brocoli, les feuilles de chou vert, le pain de blé complet, les amandes, les haricots blancs, le persil...

On ne trouve le «bon» fer que dans la viande

Encore une fois, si la viande est une source fiable de fer, il est tout à fait possible de combler ses besoins grâce aux végétaux. Le fer qu'ils renferment est moins

facilement assimilable par l'organisme, mais si on en consomme en quantité adéquate cela ne pose plus de problème. La femme non ménopausée a tendance à présenter un taux de fer assez faible et présente des besoins plus importants. Deux petites choses à savoir: le thé et le café inhibent l'absorption du fer et l a vitamine C la favorise. Il convient donc de veiller à éviter de boire du thé ou du café autour des repas et à consommer régulièrement des aliments riches en vitamine C. Ceci reste valable quel que soit votre type d'alimentation. Le fer se trouve dans les fèves de soja cuites, les lentilles, la mélasse, les épinards, le chou vert, le quinoa, le tofu, les haricots noirs et rouges, les pois chiches, le tahin, les noix de cajou.

C'est plus cher de manger végétarien!

L'idée revient souvent que manger végétarien et/ou bio n'est pas accessible à tous le monde. Bien sûr, si l'on ne change pas sa manière de consommer et que l'on achète des plats tous prêts et des paquets de biscuits, cela peut effectivement augmenter son budget.

Mais si l'on cuisine, qu'on achète en vrac et qu'on va en magasin bio, surprise! faire ses courses est plus économique qu'en supermarché. Et si de surcroît, on opte pour une alimentation 100 % végétale, on fait de sacrées économies, car le tofu (même bio) est nettement moins cher que la viande ou le fromage.
Il est vrai que mettre les pieds dans un magasin bio peut s'avérer déroutant pour le non-initié, mais très vite, ici comme ailleurs, on prend ses marques.

Manger végétarien, quelle tristesse!

Pour l'avoir souvent entendue, cette idée reçue est au palmarès des clichés. « Ça doit être ennuyeux », « Je ne pourrais pas me passer de... », « Pas tous les jours », etc. affirment souvent ceux qui ignorent tout de cette cuisine ou n'y ont jamais goûté. Parfois une mauvaise expérience dans un restaurant végétarien suffit pour se faire un avis défavorable, pour toujours... Or, il existe très peu de restaurants végétariens, donc peu de chance de se faire une vraie opinion, de comparer... C'est fou comme il est inscrit dans l'inconscient collectif que le goût est dans la viande, le beurre, les œufs et le fromage. Or, sans légumes, herbes aromatiques, épices, céréales, fruits et légumineuses la plupart des plats n'existeraient pas ! La cuisine végétale n'est pas une cuisine « sans », mais une cuisine créative où toutes les saveurs sont conservées, puisque l'on peut réaliser des versions végétales des plats traditionnels, ou inventer sans cesse. Comment cela pourrait-il être ennuyeux ?

C'est tellement compliqué !

Si préparer un plat est plus difficile que de faire réchauffer une pizza au four ou mettre un steak dans la poêle, alors oui. Mais si c'est ainsi que vous mangez, c'est le fait même de cuisiner qui est compliqué ! Il n'y a pas de grande différence entre cuisiner un plat végétal et un plat qui ne l'est pas. Les ingrédients changent, mais pour couper, mélanger, faire cuire, etc. les gestes sont les mêmes. Alors oui, il faut cuisiner, mais quand on veut bien se nourrir, se faire plaisir, c'est un petit pas à franchir. Pourquoi ne pas en faire deux d'un coup ? Lancez-vous ! Ce livre est justement une belle occasion d'essayer des recettes délicieuses et accessibles à tous.

pourquoi manger 100% végétal?

1. Pour les animaux

C'est une question d'éthique ou de morale qui se pose à nous. Les animaux sont considérés comme des objets, des machines produisant de la nourriture ou des matières pour l'industrie. Pourtant, ce sont des créatures sensibles qui ressentent comme nous la douleur, et plus que cela, ce sont des êtres sociaux, qui ont une compréhension de leur environnement, de leur vie, ils sont conscients d'eux-mêmes, de ce qui les entourent et de ce qui leur arrive.

La grande majorité des animaux exploités, torturés et tués le sont pour notre alimentation. Or, nous pouvons aujourd'hui avec toutes les techniques agronomes en notre possession, produire une alimentation, saine, en grande quantité sans exploiter d'animaux. Nous n'avons jamais autant tué et fait souffrir d'animaux qu'aujourd'hui, le développement et la croissance rimant malheureusement avec une plus grande consommation de produits animaux.

2. Pour la planète et tous ses habitants

Une alimentation bio et végétale est un moyen direct d'agir sur plusieurs problèmes graves qui pèsent sur notre planète. Car l'agroalimentaire est la première industrie du monde. Et la seule industrie de la viande génère plus de gaz à effet de serre que tout le transport de la planète, soit 18 % selon la FAO.
Préserver l'environnement des pesticides et autres produits phytosanitaires, c'est protéger l'état de nos sols, de nos rivières où ces produits détruisent toute vie.
Mais il faut aussi se préserver des rejets de l'élevage, comme le lisier qui est responsable de la prolifération des algues vertes, mortellement dangereuses.
Mais aussi les maladies qui se développent dans des élevages avant de toucher les humains, comme la grippe aviaire (H5N1) ou porcine (H1N1), sans compter la fameuse bactérie E-Coli qui tue chaque année de nombreuses personnes.
Utiliser les surfaces agricoles pour produire de la nourriture pour les humains plutôt que des aliments pour le bétail, c'est aussi cesser la déforestation de la forêt amazonienne détruite pour planter du soja OGM afin de nourrir le bétail. Mais c'est aussi limiter notre utilisation des ressources en eau, qui manque déjà terriblement dans certaines parties du monde, car produire de la viande consomme beaucoup d'eau. Changer son alimentation c'est aussi participer à un partage plus juste et solidaire avec les populations des pays pauvres.

3. Pour la santé

Le fait de manger plus de légumes, de céréales riches en fibres, de fruits et d'autres végétaux a un effet bénéfique sur notre santé en jouant le rôle de protecteur contre certaines maladies.
On continue de brandir le mythe d'une carence en protéines face à ceux qui veulent manger autrement alors que notre société occidentale fait face à de nombreux maux liés à une surconsommation de protéines. Une alimentation trop riche, déséquilibrée ou simplement trop abondante, est responsable de véritables épidémies d'obésité ou de diabète et d'une augmentation de certains cancers qui sont devenus des problèmes de santé publique.
Alors passez le cap pour une alimentation qui en plus vous sera bénéfique !

mes 10 essentiels

Lait végétal (et crème)

On trouve dans le commerce une grande variété de laits végétaux : soja, riz, amande, avoine, épeautre, quinoa, noisette, châtaigne... Délicieux à consommer tels quels, mais aussi parfaits pour la cuisine et la pâtisserie. Le lait de soja, au goût neutre, est parfait pour tous les usages. Il a été utilisé pour la plupart des recettes de ce livre. Bien sûr, il est possible de lui substituer un autre lait, mais attention, certains ont plus de goût que d'autres !

De la même manière, les crèmes végétales remplaceront parfaitement la crème fraîche dans toutes les préparations.

Agar-agar

On le trouve le plus souvent sous forme de poudre dans les magasins d'alimentation biologique. Il s'agit d'une algue séchée qui mélangée à un liquide porté ensuite à ébullition va, en refroidissant, le gélifier. Parfait pour les entremets, les terrines de légumes, les gelées de fruits.

Tofu soyeux

À ne pas confondre avec son homologue ferme sous peine d'être bien embêté ! Le tofu soyeux a une consistance très molle et se prête à de nombreuses préparations où il peut remplacer les œufs à merveille ! Quiche, mousse au chocolat, mayonnaise, cheese-cake... rien ne lui est impossible !

Fécules

Elles servent principalement de liant, pour des sauces, mais aussi en pâtisserie où elles remplacent les œufs. Arrow-root, fécule de pomme de terre, de maïs ou de tapioca, le choix est varié... J'ai principalement utilisé celle de maïs qui est la plus simple à trouver dans le commerce.

Noix de cajou crues

On les trouve souvent en vrac dans les magasins bio. Elles conservent ainsi toutes leurs propriétés nutritionnelles (vitamines et oligo-éléments) mais plus important, leur consistance est légèrement moelleuse. Mixées avec de l'eau, elles se prêtent particulièrement à la réalisation d'une crème épaisse, ou de fromage frais végétal. On peut utiliser le fromage frais de cajou pour réaliser un cheese-cake sans cuisson, des tartinades délicieuses ou des dips, des farces... Elles se prêtent aussi à la réalisation d'un délicieux pesto végétal. S'utilisent aussi bien pour du salé que du sucré.

Graines de lin doré

Réduites en poudre et mélangées à deux fois leur volume d'eau, elles vont créer une consistance gélatineuse qui va remplacer l'œuf dans les pâtisseries. J'utilise une cuillère à soupe de graines de lin + deux cuillères à soupe d'eau comme équivalent d'un œuf. Mais ces petites graines sont aussi une très bonne source d'oméga 3 et sont donc à consommer sans modération, broyées (pour une bonne assimilation) et saupoudrées sur vos salades, yaourts, légumes...

Sirop d'agave

Légèrement ambré, il remplace aisément le miel et s'utilise aussi comme sucre liquide dans de nombreuses préparations. Il se dissout parfaitement dans les liquides et a un goût très doux, moins prononcé que le sirop d'érable.
Pour remplacer le sucre ou le miel, on peut également recourir à d'autres sirops, issus de céréales ou de fruits : sirop de riz, de blé, de malt d'orge, de datte, de pomme...

Légumineuses

Les stars de l'alimentation végétale ! Lentilles, pois chiches, haricots rouges, noirs, blancs, soja...
Les légumineuses, riches en protéines, sont un aliment peu coûteux et nutritif. De plus, elles permettent de réaliser rapidement de nombreuses recettes : houmous, pâté végétal, burgers, tartinades... Elles sont un allié précieux pour une cuisine riche en saveurs.

Tamari, miso, shoyu

D'origine japonaise et utilisés dans la cuisine macrobiotique, ces aliments sont présents dans les magasins bio. Le tamari et le shoyu sont des « sauces soja », le shoyu fermenté avec du blé est moins fort que le tamari. Le miso est une pâte de soja fermentée, on en trouve différentes variétés, selon la céréale utilisée dans la fermentation (riz ou orge). On trouve des miso de couleur plus ou moins foncée, selon la durée de fermentation. Plus il est foncé, plus il est fort en goût. Ceux plus clairs sont plus doux et souvent moins salés. On emploie le miso pour réaliser des bouillons, des soupes, des sauces, c'est un condiment très intéressant au goût délicieux.

Le tamari (et shoyu) peut s'utiliser dans toutes les préparations pour parfumer et saler. (Attention si vous utilisez du miso ou du tamari, à ne pas saler comme vous le feriez habituellement.)

Tofu et protéines de soja texturées

Issues du soja, ces préparations très différentes permettent de préparer une grande variété de plats et de végétaliser vos recettes préférées. Le tofu est une pâte de soja « caillé » plus ou moins moelleuse qui se cuisine très facilement et peut remplacer la viande ou les œufs dans de nombreux plats. On en trouve de nombreuses variétés (fumé, aux herbes, lacto-fermenté...) et chaque marque produisant un tofu différent, il convient donc de goûter les différentes variétés disponibles dans votre magasin bio pour trouver celui à votre goût. On peut aussi réaliser son tofu soi-même. Les protéines de soja texturées, vendues en morceaux de différentes tailles, parfois en vrac, une fois réhydratées, remplacent aisément de la viande en morceaux ou hachée dans vos préparations (hachis, farces, bolognaise, ragoûts). Il est conseillé de les réhydrater avec un bouillon corsé pour leur donner du goût.

mes alliées gourmandise

Eaux florales

Les hydrolats de rose, fleur d'oranger, lavande... Parfaites pour parfumer en douceur pâtisseries, préparations sucrées et boissons. Un lait d'amande aromatisé à la fleur d'oranger et légèrement sucré ou un yaourt à la rose seront une vraie pose gourmande.

Huiles essentielles

Tout comme les eaux florales, elles vont parfumer vos recettes, mais leur variété est plus grande. Huiles essentielles d'agrumes, de fleurs ou de plantes aromatiques, elles s'utilisent aussi bien en pâtisserie que dans des recettes salées, à raison de quelques gouttes par préparation. Elles sont un vrai concentré de saveurs. Une goutte d'huile essentielle de basilic ou de coriandre correspond à un bouquet entier!

À manier cependant avec précaution, toutes les huiles essentielles ne se consomment pas.
Vérifier que la mention « usage interne » apparaisse sur l'emballage.

Purées d'oléagineux

Beurre de cacahuètes, purée d'amandes ou de noisettes, tahin... les purées d'oléagineux sont une vraie mine d'or pour la cuisine et leurs utilisations sont infinies !
Idéales pour concocter rapidement pâtes à tartiner et laits végétaux, elles se fondent dans vos sauces, soupes, vinaigrettes, tartinades, pâtes à gâteaux pour plus de moelleux et de légèreté puisqu'elles remplacent avantageusement margarine ou huile. Riches en acides gras et en protéines, elles sont très nutritives.

Poudre de caroube

Les graines du caroubier, séchées et réduites en poudre, constituent une aide culinaire précieuse. On peut l'utiliser comme un cacao en poudre pour concocter boissons chaudes ou froides, entremets, pâtes à tartiner et dans la pâtisserie.
La couleur est similaire à celle du cacao et son goût chocolaté légèrement praliné est un vrai régal.

Très peu chère et produite en France, la caroube est une merveilleuse alternative locale au chocolat qui, si vous le choisissez bio et équitable, peut représenter un certain coût.

Épices

Cannelle, vanille, fève de tonka, cardamome, muscade...
Les épices sont de vrais trésors. Pourquoi ne pas essayer de les faire sortir de leurs habitudes, mixer quelques gousses de cardamome dans vos smoothies, créer une sauce salade vanillée pour accompagner des légumes d'été, ajouter un peu de cannelle dans vos plats ?

mes alliés santé

Goji

Ces petites baies rouges ont débarqué en France il y a quelques années dans les magasins d'alimentation biologique.
Très riches en vitamines, elles sont un en-cas parfait. Elles s'ajoutent aux mueslis, granolas, yaourts, mais se cuisinent aussi par exemple dans un riz aux légumes à l'indienne.

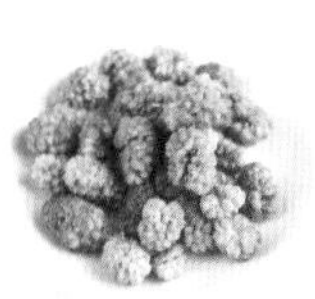

Mulberries

Elles aussi nouvelles venues dans les magasins bio, ces baies du mûrier blanc sont très riches en fer (20 %) et en vitamine C (qui favorise l'absorption du fer).
À consommer sans modération dans petits déjeuners et en-cas.

Noix, graines de chia, graines de chanvre

Elles sont les meilleures alliées pour s'assurer d'une bonne source d'oméga 3.

Les graines de chia et de chanvre n'ont pas besoin d'être broyées contrairement aux graines de lin.

Pour une alimentation 100 % végétale, consommer l'équivalent d'une cuillère à soupe ou quelques cerneaux de noix par jour est parfait.

Pour une utilisation simple, saupoudrer ces graines sur les yaourts végétaux, soupes ou plats, ou les incorporer aux pains, mueslis ou granolas !

Légumes à feuilles vertes

Épinards, mâche, brocolis, laitue romaine, blettes, roquette, pissenlit... Ces feuilles vertes sont de puissants alliés santé.

Riches en vitamines A, C, K et acide folique ou oligo-éléments tels que le fer, le calcium, le potassium ou le magnésium, mais aussi en fibres, ils devraient être sur notre table tous les jours !

Si beaucoup de gens les boudent pour leur goût, il est très facile de les ajouter aux salades ou de les mixer avec des fruits pour un « jus vert » au petit déjeuner ou au goûter. C'est en les mangeant crus qu'on profite de toutes leurs vertus.

Graines germées

Ces véritables petites bombes nutritionnelles concentrent vitamines, enzymes et sont très digestes.

On peut faire germer des légumineuses (haricots mungo, lentilles, pois chiches, haricots azuki...), des céréales (blé, orge, avoine, seigle, sarrasin...), mais aussi des légumes (roquette, brocoli, chou, poireau...) et des plantes aromatiques (moutarde, fenouil, fenugrec, persil...).

Les graines germées ont souvent un goût très proche des légumes ou plantes dont elles proviennent.

On peut les consommer à chaque repas dans des salades, parsemées sur des plats ou des soupes, mais on peut aussi les cuisiner, par exemple en pesto, dans une sauce au yaourt, des fromages végétaux ou des pains de céréales germées cuits à basse température.

les bases

Béchamel

Une préparation classique de la cuisine française dont la version végétale bluffera plus d'un connaisseur.

Pour 4 personnes
- 20 g de margarine
- 20 g de farine
- 15 cl de lait de soja
- noix de muscade
- sel et poivre

Réalisation (10 min)
• Faire fondre la margarine à feu moyen.
• Incorporer la farine, bien mélanger.
• Laisser cuire une à deux minutes en tournant sans arrêt.
• Incorporer le lait petit à petit en mélangeant vivement.
• Saler, poivrer et ajouter quelques pincées de noix de muscade fraîchement râpée de préférence.

Lasagnes bolognaises au thym

Pour 4 personnes
- 1 gros oignon
- 400 g de tomates pelées coupées en dés
- 2 gousses d'ail
- une branche de thym frais
ou 1 c. à s. de thym séché
- huile d'olive
- lasagnes de blé
- sel et poivre
- béchamel

Préparation de la sauce tomate
• Faire chauffer 2 c. à s. d'huile d'olive dans une casserole de taille moyenne.
• Y faire revenir l'oignon et l'ail préalablement émincés, à feu moyen, jusqu'à ce qu'ils commencent à dorer.
• Ajouter les tomates, et laisser cuire à feu doux, en remuant régulièrement, pendant 20 min.
• Saler et poivrer selon votre goût et ajouter le thym.

Préparation des lasagnes
• Faire préchauffer le four à 180°.
• Dans un plat à gratin, disposer une couche de lasagnes dans le fond du plat, puis une couche de béchamel et enfin une couche de sauce tomate. Renouveler l'opération autant de fois que nécessaire.
Vous pouvez gratiner ces lasagnes en les recouvrant de crème soja et en les saupoudrant de levure maltée.

idée +

Pour des farces ou des gratins, la béchamel est toujours parfaite, mais elle peut aussi s'utiliser comme sauce pour napper des légumes ou même dans une soupe.

Cake salé

Grand habitué des apéros et des pique-niques, le cake salé se décline à l'infini. Cette recette à personnaliser vous permettra de réaliser vos cakes préférés sur une base 100 % végétale. À vous de jouer !

Pour 6 à 8 personnes

- **4 c. à s. de fécule de maïs + 4 c. à s. de lait végétal**
- **275 ml de lait végétal**
- **2 c. à s. de levure maltée**
- **1,5 c. à c. d'ail en poudre**
- **100 ml d'huile d'olive**
- **3 c. à s. de gomasio**
- **1,5 sachet de poudre à lever sans phosphates**
- **300 g de farine de blé T65**
- **garniture de votre choix**
- **sel et poivre**
- **papier cuisson**

Réalisation (environ 1 h 15 cuisson comprise)

- Préchauffer le four à 180°.
- Dans un saladier, mélanger la fécule avec les 4 c. à s. de lait.
Ajouter les 275 ml de lait restants, la levure maltée, l'ail, puis l'huile d'olive et bien mélanger le tout au fouet.
- Ajouter le gomasio, la poudre à lever et mélanger de nouveau.
- Verser la farine, petit à petit en touillant sans cesse. Ajouter votre garniture. Saler et poivrer selon votre goût.
- Chemiser un moule à cake et verser la préparation dans le moule.
- Enfourner 45 min à chaleur tournante ou 1 h à chaleur normale.
Pour vérifier la cuisson, planter la lame d'un couteau au cœur.
S'il ressort propre, le cake est cuit.
Sinon laisser cuire 5 min de plus et vérifier à nouveau la cuisson.
Renouveler l'opération si nécessaire.

variante

Pour un cake plus corsé ajouter 2 c. à c. de tamari. Pour un goût plus « fromagé », ajouter 2 c. à s. de levure maltée supplémentaires.

idée +

Les associations sont quasi infinies: olives vertes et tofu fumé, courgettes et pignons de pin, poivron et thym, tomates séchées et basilic (photo ci-contre), oignons rôtis et romarin... Vous pouvez aussi utiliser de la farine complète ou semi-complète pour un cake plus rustique ou plus riche en fibres, la cuisson sera légèrement plus longue. Pour un cake sans gluten, remplacer la farine par un mélange de farines sans gluten.

Cookies

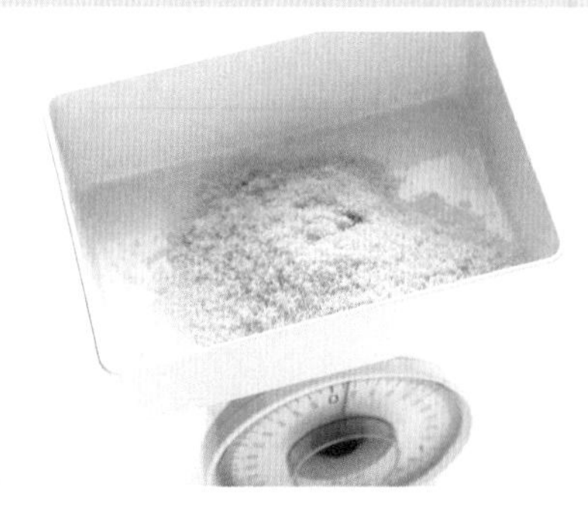

Pour environ 20 cookies

- 70 g de margarine
- 100 g de sucre de canne blond
- 3 c. à s. de lait végétal
- ½ c. à c. de levure sans phosphates
- ½ c. à c. de bicarbonate de soude
- ½ c. à c. d'arôme ou extrait de vanille
- ¼ de c. à c. de sel
- 165 g de farine de blé type T65
- garniture de votre choix : ici 40 g de noix de macadamia concassées et 80 g de pépites de chocolat

• Préchauffer le four à 180 °C.
• Dans un saladier, mélanger la margarine (non fondue) et le sucre en pommade (pour obtenir une belle consistance lisse et crémeuse).
• Verser le lait végétal et mélanger.
• Ajouter la levure, le bicarbonate, la vanille et le sel, bien mélanger.
• Incorporer la farine petit à petit en mélangeant bien.
• Puis ajouter la garniture.
• Sur une plaque recouverte de papier sulfurisé, disposer des petites boules de pâte aplaties en les espaçant suffisamment car la pâte va s'étaler en cuisant.
• Faire cuire 10 min à 180 °C à chaleur NON tournante (pour une cuisson plus homogène).

idée +

Pour des cookies originaux, les mariages détonants ne manquent pas : amandes-cranberries, chocolat-gingembre confit, fraise-chocolat blanc, banane-caramel...

Crêpes de froment

Pour 15 à 20 crêpes

- 250 g de farine de blé T65
- 500 ml de lait de soja
- 3 c. à s. de fécule de maïs
- 1,5 c. à s. de margarine fondue
- 75 ml d'eau
- ¼ c. à c. de sel
- arôme de votre choix : 1 c. à c.

Réalisation de la pâte
(5 min + 1 h de repos)

- Dans un grand saladier, mélanger la farine, le sel et la fécule.
- Verser petit à petit le lait en mélangeant au fouet.
- Ajouter ensuite la margarine, bien mélanger.
- Allonger la pâte avec l'eau et bien mélanger à nouveau. Ajouter votre arôme.
- Laisser reposer la pâte 1 h environ.

Dans une poêle à crêpes, verser à l'aide d'une louche suffisamment de pâte pour couvrir le fond.

- Laisser cuire jusqu'à ce que les bords se décollent.
- Retourner la crêpe pour la faire dorer de l'autre côté.

Conserver les crêpes empilées sur une assiette et recouvertes d'un torchon propre.
Consommer dans la journée.

idée +

Les crêpes peuvent s'aromatiser avec du rhum brun, de la fleur d'oranger, de la vanille, 2 gouttes d'huile essentielle comestible, de l'eau de rose ou du Grand Marnier. Pour des crêpes de sarrasin, remplacer la moitié de la farine (ou l'intégralité pour un goût plus fort ou des crêpes sans gluten) par de la farine de sarrasin.

Mayonnaise végétale

Pour 1 pot ou 4 personnes

- **4 c. à c. de moutarde de Dijon**
- **6 c. à s. de tofu soyeux**
- **5 c. à s. d'huile d'olive**
- **sel et poivre**

Réalisation (5 min)

• Dans un grand bol, à l'aide d'un fouet, bien mélanger la moutarde et le tofu soyeux.

• Incorporer petit à petit l'huile d'olive en fouettant.

• Saler et poivrer selon votre goût.

• Mélanger brièvement à l'aide d'un mixeur plongeur pour obtenir une texture lisse.

Conserver au frais avant de déguster. Consommer dans les 48 h.

Une fois passée au réfrigérateur, cette mayonnaise sera légèrement plus ferme.

Toutefois, pour une texture très ferme, il est possible d'ajouter une pointe de couteau de gomme xantane. Remixer alors jusqu'à la fermeté souhaitée.

idée +

Jus de citron, estragon ou ciboulette hachés, moutarde à l'ancienne ou aux herbes pour plus de caractère.... rien de plus simple que de personnaliser une mayonnaise.

Pâte brisée

Version salée ou sucrée, cette pâte incontournable sera votre alliée pour réaliser tourtes, quiches et tartelettes.

Pour 1 tarte de 6 personnes
- **250 g de farine de blé T65**
- **125 g de margarine bio 100 % végétale**
- **½ c. à c. de sel**
- **60 ml d'eau**
- **2 c. à s. de sucre en poudre de canne pour une pâte sucrée**

Réalisation (10 min + 1 h de repos)
• Dans un saladier, verser la farine, ajouter le sel, et éventuellement le sucre.
• Couper la margarine en petits morceaux et avec vos mains propres et sèches, l'incorporer à la farine.
• Ajouter l'eau progressivement et pétrir jusqu'à obtenir une consistance homogène.
• Former une boule et la laisser reposer au moins une heure, de préférence au frais. (La pâte protégée par du film alimentaire peut se conserver 24 h au réfrigérateur.)
• À l'aide d'un rouleau à pâtisserie, étaler la pâte sur un tapis anti-adhésif, à défaut du papier cuisson ou un plan de travail légèrement fariné.
Pour un fond de tarte, la cuisson sera généralement de 20 min à 180°.
Piquer avec une fourchette ou recouvrir d'une feuille de papier cuisson et de billes d'argile ou de haricots secs, pour l'empêcher de gonfler.

Tartelettes aux pommes et à la cannelle

• À l'aide d'un petit bol ou d'un cercle à pâtisserie, découper des cercles dans la pâte et les disposer dans des moules à tartelettes.
• Étaler une couche de compote de pommes sur le fond. Couper une pomme en quartiers et les disposer sur les tartelettes.
• Saupoudrer de cannelle et de sucre en poudre. Cuire 10 min à 180°.

idée +

Pour des pâtes festives, ajouter directement à la préparation des épices ou herbes fraîches. Pâte à la cannelle pour une tarte aux fraises, pâte au basilic pour une tarte à la tomate, pâte parfumée au thym pour une quiche estivale.

Pesto

La fameuse sauce au basilic trouve avec les noix de cajou une seconde jeunesse, pour un résultat crémeux et fondant à souhait, et une réalisation simplissime.

Pour 2 personnes

- 40 feuilles de basilic frais de taille moyenne
- 100 ml d'huile d'olive
- 30 noix de cajou
- 2 petites gousses d'ail
- 1 c. à s. de pignons de pin (optionnelle)

Réalisation (5 min)

- Laver et sécher brièvement les feuilles de basilic.
- Mettre tous les ingrédients dans le bol du mixeur.
- Mixer jusqu'à obtenir une consistance homogène et crémeuse. Saler selon votre goût.

Conservation

48 h dans un pot hermétique. Attention, placée au réfrigérateur, l'huile d'olive fige et le pesto devient solide. Penser à sortir le pesto 15 min avant de l'utiliser.

idée +

Ajouter des tomates séchées à la préparation au moment de mixer pour un délicieux pesto rosso. Utiliser le pesto pour la fameuse soupe au pistou ou pour parfumer une sauce ou un cake. Un reste de pesto fera également une bonne base de tartinade pour un sandwich.

les classiques revisités

Aubergine alla parmigiana

Un classique de la gastronomie italienne qui se prête tout à fait à une cuisine végétale. Idéal pour recevoir.

Pour 4 personnes

Les aubergines panées

- **2 aubergines moyennes**
- **25 cl de lait d'amande**
- **1 c. à s. de tamari**
- **10 c. à s. de farine de maïs**
- **10 c. à s. de farine de pois chiche**
- **10 c. à s. de levure maltée**
- **huile d'olive**
- **sel et poivre**

La sauce tomate

- **1 oignon**
- **2 gousses d'ail**
- **2 c. à s. d'huile d'olive**
- **1 c. à s. de sucre blond**
- **400 g de pulpe de tomates ou tomates concassées**
- **2 à 3 c. à s. de basilic frais haché ou surgelé**

Le parmesan végétal

- **5 c. à s. d'amandes réduites en poudre**
- **1 c. à s. de sésame blond**
- **2 c. à s. de levure maltée**
- **sel et poivre**

Réalisation (1 h)

• Couper les aubergines en tranches ou rondelles d'environ un demi-centimètre d'épaisseur.

• Dans un bol, mélanger le lait d'amande et le tamari. Dans une assiette, mélanger les farines de maïs, de pois chiche et la levure maltée. Saler et poivrer.

• À feu moyen, chauffer un fond d'huile dans une grande poêle.

• Tremper les aubergines dans le lait au tamari puis dans le mélange de farines.

• À la poêle, les faire dorer de chaque côté. Faire de même avec toutes les aubergines et réserver.

• Émincer l'oignon et l'ail.

• Dans une casserole les faire revenir dans 2 c. à s. d'huile d'olive à feu moyen. Verser le sucre et mélanger.

- Faire dorer les oignons.
- Ajouter la pulpe de tomate et cuire 20 min à feu doux.
- Ajouter le basilic, saler et poivrer.
- Dans le bol du mixeur, verser les amandes, le sésame et la levure maltée. Mixer pour obtenir une poudre.
- Dans un plat, alterner plusieurs fois une couche d'aubergine et une couche de sauce.
- Parsemer de parmesan végétal.
- Enfourner 10 min à 180 °C.
- Servir avec le parmesan végétal.

idée +

Pour des invités, utiliser des petites cocottes ou poêlons individuels, le plat n'en aura que plus de charme. Cette recette peut se décliner avec des courgettes, et pourquoi pas alterner aubergines et courgettes pour un mille-feuille encore plus savoureux ! Pour une présentation soignée, couper les aubergines dans leur hauteur (tranches rondes) et assembler au dernier moment dans une nonette (cercle de pâtisserie) en métal.

Black bean burger

Les burgers végétaux sont déjà présents dans les supermarchés et magasins bio, mais pourquoi passer à côté d'un fait maison, fondant au cœur et croustillant à l'extérieur ?

Pour 4 burgers

- **250 g de haricots noirs (ou rouges ou azukis) cuits ou en conserve (dans ce cas : lavés et égouttés)**
- **80 g d'oignons hachés**
- **2 gousses d'ail pressées en purée**
- **1 c. à s. de tamari**
- **½ c. à c. de thym séché**
- **1 c. à s. d'huile d'olive**
- **4 c. à c. de fécule de maïs**
- **½ c. à c. de sel**
- **poivre**
- **garniture et pains de votre choix**

Préparation (20 min)

• Dans un saladier, verser les haricots égouttés, l'oignon haché, l'ail, le tamari, le thym, la fécule, le sel et le poivre. Écraser énergiquement les haricots et bien mélanger pour former une pâte.

• Faire chauffer l'huile d'olive dans une poêle à feu vif.

• Humidifier ses mains et prélever un quart de la préparation pour former une boule. La déposer dans la poêle et l'aplatir. Renouveler l'opération pour les autres burgers.

• Faire cuire 3 à 5 min de chaque côté selon la texture souhaitée : moelleuse ou croustillante.

• Pour monter les burgers, faire chauffer les petits pains au four avant de les garnir de crudités, rondelles d'oignons grillés, ketchup, moutarde ou mayonnaise végétale.

idée +

Muffins anglais, mini-chiabattas, petits pains aux céréales... pourquoi ne pas varier les pains pour des burgers plus nutritifs ? Et ajouter quelques tranches de fromage végétal pour plus de fondant. Pour des burgers plus épicés, verser quelques gouttes de tabasco dans la préparation ou une pincée de piment de Cayenne.

Courgettes farcies

Les courgettes rondes se prêtent particulièrement à cette recette. Une belle occasion de découvrir des protéines de soja texturées pour une farce simple qui plaira à tous les palais.

Pour 4 personnes

- **4 courgettes rondes**
- **200 g de protéines de soja texturé en petits morceaux**
- **1 oignon**
- **3 gousses d'ail**
- **300 ml d'eau bouillante**
- **1 c. à c. de bouillon de légumes en pot ou un cube**
- **1 c. à c. de miso brun**
- **1 c. à c. de tamari**
- **huile d'olive**
- **2 c. à c. de cognac ou de whisky**
- **10 gouttes de Tabasco (à éviter pour les enfants)**

Réalisation (1 h)

• Dans un grand bol, délayer le bouillon et le miso dans l'eau bouillante, ajouter le tamari.

• Verser les protéines de soja texturées et laisser gonfler 10 min. Pendant ce temps, couper le haut des courgettes et à l'aide d'une cuillère à café les évider tout en veillant à laisser une épaisseur de chair d'environ 1 cm. Préchauffer le four à 180°.

• Couper l'oignon en dés et le faire revenir à feu moyen dans 1 c. à s. d'huile d'olive.

• Ajouter l'ail réduit en purée.

• Verser les protéines de soja réhydratées et le reste du bouillon dans la poêle.

• Ajouter le cognac et le Tabasco et laisser mijoter le tout 10 min à feu doux en remuant régulièrement.

• Remplir les courgettes évidées avec la farce. Faire cuire au four pendant 40 min.

idée +

Ces courgettes seront parfaites avec un riz long et une sauce tomate aux herbes. On peut varier les plaisirs en réalisant une farce à l'indienne en ajoutant de la pâte ou de la poudre de curry et des poivrons lors de la cuisson des protéines de soja. La chair des courgettes peut être réutilisée dans une soupe ou une potée de légumes.

Panna cotta de courgette et coulis de tomates au thym

Une panna cotta salée, pour une entrée gourmande, aux douces saveurs d'été. De quoi régaler les gourmets et épater vos invités.

Pour 4 personnes

- **2 courgettes de taille moyenne**
- **2 c. à s. d'huile d'olive**
- **½ litre de lait de soja**
- **5 c. à c. de tamari**
- **4 g (2 c. à c.) d'agar-agar**
- **8 c. à s. de crème soja**
- **sel et poivre**

Pour le coulis

- **200 ml de coulis de tomates (maison ou en brique)**
- **2 gousses d'ail**
- **2 c. à c. d'huile d'olive**
- **feuilles de thym frais - 2 c. à c.**
- **sel et poivre**

Réalisation (30 min + repos de 2 h)

• Émincer les courgettes et les faire revenir dans une casserole à feu moyen dans l'huile d'olive.
• Poivrer et laisser cuire les courgettes à feu doux (elles ne doivent pas dorer).
• Lorsqu'elles commencent à ramollir, ajouterun demi-litre de lait de soja et laisser cuire.
• Saler avec le tamari. Lorsque les courgettes sont complètement fondantes, ajouter l'agar-agar en pluie, bien mélanger au fouet et porter à ébullition 2 min en mélangeant constamment.
• Sortir du feu, ajouter la crème de soja et mixer grossièrement à l'aide d'un mixeur plongeur (cela laissera de légers morceaux de courgettes fondants dans la panna cotta).
• Verser dans 4 ramequins ou verrines, laisser refroidir puis placer au frais 2 h minimum.
• Dans une casserole, à feu moyen, faire chauffer les gousses d'ail préalablement pressées en purée dans 2 c. à c. d'huile d'olive. Ajouter le thym, remuer une minute.
• Verser le coulis, saler et poivrer et laisser cuire le tout à feu doux 5 min.
• Sortir du feu et laisser refroidir dans un bol. Au moment de servir, verser 2 c. à s. environ de coulis de tomate sur chaque panna cotta.

Parmentier d'hiver

Une version 100 % légumes d'hiver pour un plat familial, réconfortant et économique.

Pour 4 personnes

- **grosses pommes de terre**
- **250 g de poireaux émincés**
- **200 g de carottes émincées**
- **100 g d'oignon émincé**
- **3 gousses d'ail**
- **3 c. à s. de margarine**
- **2 c. à s. de lait de soja**
- **3 c. à s. d'huile d'olive**

Pour gratiner avec une petite touche « fromagère »

- **4 c. à s. de crème soja**
- **4 c. à s. de levure maltée**
- **4 c. à s. de chapelure**

Réalisation (1 h 30)

• Éplucher les pommes de terre et les faire cuire à l'eau pendant 45 min.

• Pendant ce temps, faire revenir les poireaux, carottes, l'oignon et l'ail dans l'huile d'olive à feu doux pendant 40 min.

• Écraser les pommes de terre en purée avec la margarine et le lait de soja. Saler et poivrer selon votre goût.

• Disposer les légumes tendres dans le fond d'un plat à gratin et recouvrir de purée.

• Verser le mélanger de crème, levure et chapelure sur le dessus et étaler avec une cuillère à soupe.

Enfourner pour 20 min à 180° C.

idée +

Réaliser un Parmentier de légumes anciens avec du topinambour, du potimarron et du panais. Pour un Parmentier plus « classique », on peut utiliser du haché végétal (préparation en vente dans les rayons frais des magasins bio et qui ressemble à de la viande hachée sauf que la composition est 100% végétale (soja).

Risotto au potimarron et pignons

Un risotto aux couleurs d'automne, délicatement parfumé, pour un repas tout en douceur. Une recette simple et légère.

Pour 2 personnes

- **1 petit potimarron**
- **1 oignon**
- **1 gousse d'ail**
- **25 cl de vin blanc**
- **1 litre de bouillon de légumes chaud**
- **huile d'olive**
- **1 verre de riz rond de type Arborio**
- **2 c. à s. de pignons de pin**
- **sel et poivre**

Réalisation (45 min)

• Couper l'oignon en dés et émincer l'ail. Couper le potimarron en deux, vider les graines et l'éplucher.
Le détailler en dés et le faire cuire 10 min à la vapeur.

• À feu doux, faire revenir l'oignon dans 2 c. à s. d'huile d'olive, et ajouter l'ail.

• Verser le riz et remuer jusqu'à ce qu'il devienne transparent.

• Ajouter le vin blanc. Quand le riz a « bu » le vin, couvrir de bouillon et remuer régulièrement jusqu'à absorption du liquide.
Renouveler l'opération jusqu'à cuisson complète du risotto.

• Ajouter le potimarron et les pignons de pin, remuer quelques minutes.
Servir.

idée +

Au printemps, réaliser un délicieux risotto d'asperges vertes ou de pois nouveaux. Les saveurs oubliées refont leur apparition sur les étals des maraîchers, occasion pour tenter le risotto à la courge spagetti ou aux crosnes.

bon à savoir

Le crémeux d'un risotto est dû au type de cuisson et à l'amidon du riz. Un risotto traditionnel n'est pas cuisiné avec de la crème, c'est donc un plat assez léger malgré son apparence.

Tarte flambée

La fameuse Flammekuche alsacienne se fait sur une base de pâte à pain. En utilisant un tofu fumé, on retrouve parfaitement le goût de cette spécialité régionale.

Pour 4 personnes

- **10 g de levure de boulanger**
- **100 ml d'eau chaude**
- **300 g de farine de blé T65**
- **1 c. à c. de sel**
- **200 g de tofu fumé**
- **2 oignons**
- **200 ml de crème soja**
- **sel et poivre**

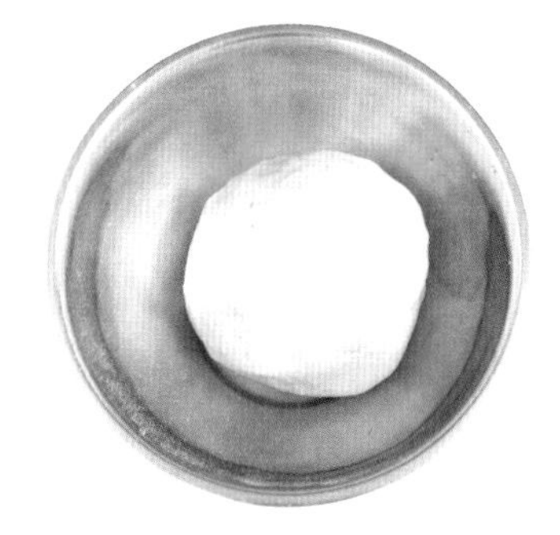

Réalisation (1 h 30)

• Délayer la levure dans l'eau chaude et laisser reposer 10 min.
Tamiser la farine dans un saladier et ajouter le sel.

• Verser la levure et bien mélanger, pétrir pendant 10 min.
Former une boule et laisser reposer dans le saladier sous un torchon pendant une heure.

• Préchauffer le four à 250°.
Sur une feuille de papier cuisson, étaler la pâte à pain pour former un rectangle de fine épaisseur.
Replier éventuellement les bords.

• Dans un bol, mélanger la crème soja avec sel et poivre.
Couper l'oignon en fines lamelles, et le tofu fumé en allumettes.

• Verser la crème sur la pâte et parsemer d'oignons et de tofu fumé.
Faire cuire 5 à 10 min en surveillant pour que la tarte soit juste dorée.

pour bien débuter la journée

Chocolat chaud cannelle-vanille

Rien de tel qu'on bon chocolat chaud pour les soirs d'hiver ou les petits déjeuners gourmands, et avec quelques notes épicées, cette boisson toute simple deviendra un vrai régal.

Pour 4 personnes

- **30 cl de lait d'amande (ou lait végétal de votre choix)**
- **½ c. à c. de cannelle en poudre**
- **10 gouttes d'extrait de vanille**
- **1 c. à s. de chocolat en poudre**
- **1 c. à c. (ou 1 c. à s. pour les gourmands) de sirop d'agave**

Réalisation (5 min)

• Faire chauffer le lait dans une casserole à feu moyen.

• Verser le chocolat et délayer à l'aide d'un fouet.

• Ajouter la cannelle et la vanille. Bien mélanger.

• Ajouter le sirop d'agave et mélanger à nouveau.

• Sortir du feu.

Verser dans une tasse en passant à travers un petit chinois.

idée +

Utiliser un lait de noisette pour un goût praliné délicieusement surprenant. Pour un chocolat avec plus de caractère, ajouter une pincée de piment ou de poivre, et réaliser un chocolat chaud à partir de chocolat noir fondu auquel sera ajouté le lait, puis les épices. Pour un chocolat digne d'un grand restaurant, vous pouvez réaliser une chantilly végétale au siphon et en recouvrir la tasse, parsemer ensuite de chocolat en poudre ou de matcha pour une association originale.

chocolat chaud cannelle-vanille

Dulce de leche

La confiture de lait de nos grands-mères est si simple à végétaliser et à réaliser qu'il serait dommage de ne pas se lancer. Mais attention néanmoins au risque d'addiction !

Pour 1 pot de confiture

- **½ litre de lait végétal**
- **150 g de sucre blond de canne**

Réalisation (environ 1 h 30)
Le seul secret pour une confiture de lait réussie est de remuer régulièrement, sinon une « peau » va se former sur le lait et il faudra l'enlever.
• Mettre le lait dans une casserole. Ajouter le sucre et remuer. Laisser cuire à feu doux en mélangeant régulièrement jusqu'à ce que le mélange épaississe.
• Lorsque le mélange commence à bouillonner (après une bonne heure environ), mélanger très fréquemment (voire même sans s'arrêter) pendant 20 min environ.

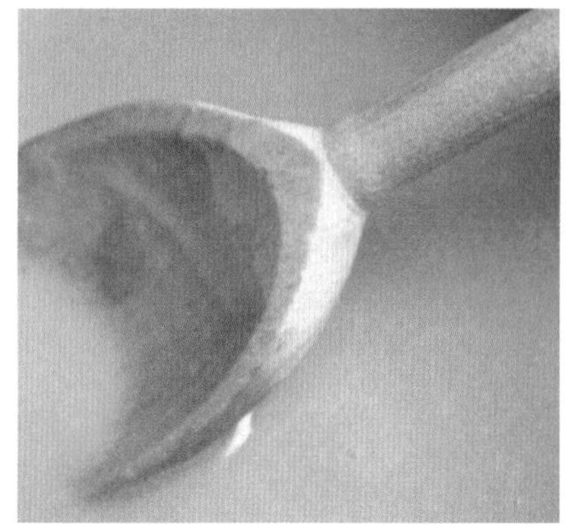

• Le test pour voir si votre dulce de leche est prêt : à l'aide d'une cuillère à café, prélever un peu de liquide pour napper une assiette, si le mélange recouvre de manière homogène la surface et qu'il est légèrement épais sans couler, c'est prêt. Sinon, laisser cuire 5 min supplémentaires en remuant et renouveler l'opération.
• Mettre en pot, fermer et laisser refroidir. Conserver au frais et consommer dans la semaine.

idée +

Pourquoi ne pas réaliser des petits pots de dulce de leche maison à offrir à Noël ? Cette douceur ne manquera pas de ravir famille et amis.

Utilisation : en tartine, en glaçage, pour fourrer des chocolats, en coulis sur une glace ou une crêpe.

Granola des champions

Idéal pour bien démarrer la journée ou pour faire une pause, ce granola – sorte de muesli croustillant et sucré – riche en fer, vitamine C et magnésium, saura plaire aux petits comme aux grands en leur apportant une bonne dose d'énergie.

Pour l'équivalent d'1 paquet de céréales

- **150 g de petits flocons d'avoine**
- **150 g de flocons d'épeautre**
- **50 g de noix de cajou**
- **3 c. à s. d'huile de colza**
- **3 c. à s. de sirop d'agave ou d'érable**
- **3 c. à s. de sucre de canne**
- **½ c. à c. de cannelle**
- **¼ c. à c. de sel**
- **3 c. à s. d'eau**
- **50 g de bananes séchées**
- **50 g de mulberries (voir p. 20)**
- **20 g de pépites de chocolat noir**

Réalisation (40 min)

• Préchauffer le four à 150° C.

• Dans une casserole, verser l'huile, le sirop, le sucre, la cannelle, le sel et l'eau.
Bien mélanger et faire chauffer à feu doux quelques minutes.

• Dans un saladier, mélanger les flocons de céréales et les noix de cajou grossièrement écrasées.
Verser le mélange liquide chaud dans le saladier et mélanger.

• Dans la lèchefrite du four ou sur une plaque de cuisson placer une feuille de papier cuisson et étaler le granola.

• Faire cuire 30 min au four, en remuant le granola à mi-cuisson pour qu'il dore de manière homogène.

idée +

Vous pouvez réaliser autant de granola que votre imagination le permet, en variant les céréales, en ajoutant, par exemple, des noix, des amandes, des fruits rouges séchés ou des pépites de chocolat blanc.

Lemon curd

Tartiné sur du pain, mais aussi en garniture sur une tarte au citron ou en glaçage sur des cupcakes, le lemon curd saura se plier à toutes les envies.

Pour 1 pot de confiture

- **100 g de margarine**
- **10 c. à s. de sucre de canne blond**
- **10 cl de jus de citron**
- **2 c. à c. de zeste**
- **4 c. à s. de lait d'amande + 2 c. à s. après cuisson**
- **5 c. à c. d'arrow root (fécule)**

Réalisation (15 min)

• Faire fondre à feu moyen la margarine dans une casserole, ajouter le sucre.

• Verser le jus de citron et les zestes, bien mélanger au fouet.

• Incorporer 4 c. à s. de lait d'amande, bien mélanger.
Ajouter l'arrow-root, mélanger.

• Porter à ébullition (petits bouillons). Sortir du feu, en continuant de mélanger au fouet.

• Ajouter 2 c. à s. de lait d'amande, mélanger et transvaser le tout dans un pot à confiture.
Laisser refroidir avant de placer au réfrigérateur.

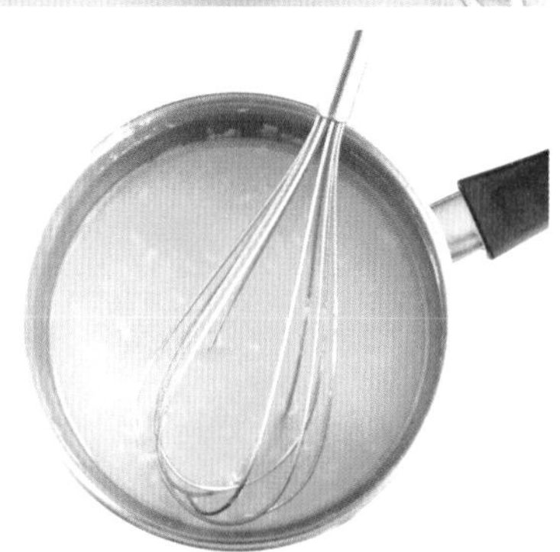

idée +

Sur le même principe, réaliser un orange curd !

Milkshake matcha-cerise

La poudre de thé vert japonais se marie délicieusement à la cerise. À l'image d'une pâtisserie, ce milkshake leur offre un support tout aussi gourmand, mais plus léger et parfait pour une pause ou un petit déjeuner d'été.

Pour 1 personne

- **10 cerises**
- **100 ml de lait d'amande**
- **1 c. à c. de sirop d'agave**
- **½ c. à c. de matcha**
- **3 ou 4 glaçons**

Réalisation (5 min)

• Dénoyauter les cerises (les couper en deux et enlever le noyau).
• Mettre tous les ingrédients dans le bol du mixeur. Mixer !
Déguster aussitôt.

idée +

Le matcha se marie très bien aussi avec la framboise.
S'il fait très chaud, vous pouvez servir ce milkshake dans un grand verre plein de glaçons pour un effet « frappé » très rafraîchissant.

Pain perdu

Une recette pour donner une seconde vie à du pain rassis ou simplement se faire plaisir avec du pain frais... Ce pain perdu, même sans œuf, ne manque de rien ! Pour un brunch en famille ou un petit déjeuner en solitaire...

Pour 1 personne

- **½ baguette coupée en tronçons de 2 cm environ**
- **250 ml de lait d'amande**
- **1 c. à c. d'arôme liquide fleur d'oranger**
- **1 c. à s. de sucre de canne blond**
- **2 c. à s. de margarine**
- **1 c. à s. de sucre pour saupoudrer à la fin**

Réalisation (25 min)

- Dans une assiette creuse, mélanger le lait, le sucre et la fleur d'oranger.
- Faire tremper le pain 5 à 10 min (selon qu'il soit frais ou rassi) en le retournant de temps en temps.
- Faire chauffer la margarine dans une poêle à feu moyen. Faire dorer les tranches en les retournant régulièrement.
- Saupoudrer avec le sucre de canne et déguster aussitôt.

idée +

Pour des saveurs différentes, essayer de parfumer le pain perdu au rhum (pour un goût de crêpes à l'ancienne) ou à la vanille.
Et pour une recette vraiment décadente, le napper de chocolat noir fondu et accompagner d'une boule de glace vanille.

Porridge rose-goji

Un mariage subtil pour cette recette anglaise classique. Un petit déjeuner nourrissant et vitaminé au parfum fleuri qui malgré sa couleur n'est pas exclusivement réservé aux filles !

Pour 1 personne

- **200 ml de lait d'amande**
- **8 c. à s. bombées de petits flocons d'avoine**
- **2 c. à s. de gojis (voir p. 20)**
- **2 c. à s. d'eau de rose**
- **1 c. à s. de sirop d'agave**

Réalisation (10 min)

• Mettre le lait à chauffer dans une casserole à feu moyen. Ajouter les flocons d'avoine en pluie. Remuer et ajouter les gojis.

• Lorsque les flocons ont bien épaissi, retirer du feu.

• Ajouter l'eau de rose et le sirop d'agave et bien mélanger. Laisser un peu refroidir avant de servir.

idée +

Le porridge peut se décliner pour combler toutes les envies... Ajouter de l'eau de fleur d'oranger et des pistaches pour une note orientale, des pépites de chocolat pour un fondant ultra gourmand ou des noix et raisins secs pour une recette plus classique.

4

light et gourmand express

Crème pralinée à la caroube

Fruit du caroubier, cette longue gousse une fois moulue remplace à merveille le chocolat et donne à cette crème pralinée un parfum fabuleux.

Pour 4 personnes

- **400 g de tofu soyeux**
- **6 c. à s. de purée de noisettes grillées**
- **6 c. à s. de sirop d'agave**
- **3 c. à s. de poudre de caroube**

Réalisation (5 min)

• Dans un saladier ou le bol du mixeur, mixer les différents ingrédients.

• Verser la préparation dans 4 ramequins en partageant équitablement.

Mettre au frais une heure avant de servir.

idée +

La caroube pourra vous servir pour réaliser de délicieuses pâtes à tartiner ou des boissons chaudes au doux parfum de chocolat praliné. Le tofu soyeux employé ainsi pourra devenir la base d'une mousse ou de crèmes dessert aux fruits. Pour réaliser une mousse au chocolat : mixer le tofu soyeux et du chocolat noir fondu pendant 10 min, sucrer à convenance et laisser prendre plusieurs heures au frigo.

Crumble de pommes cru

Un crumble crémeux et sans cuisson pour un dessert gourmand à souhait, le tout réalisé en un quart d'heure chrono ? C'est possible ! En plus, ce dessert est un véritable plein d'énergie. Très nutritif, il est parfait pour un repas léger spécialement cru, ou comme goûter, mais risque d'être de trop après un repas copieux.

Pour 2 personnes

- **4 c. à s. de crème de cajou (voir recette p. 88)**
- **25 g de noisettes**
- **25 g d'amandes**
- **5 dattes**
- **1 pomme**
- **¼ c. à c. de cannelle**
- **1 c. à c. de sirop d'agave**

Réalisation (10-15 min)

- Mixer les noisettes et les amandes ou les écraser au mortier.
- Hacher les dattes débarrassées de leurs noyaux et les ajouter aux noisettes et amandes pour réaliser le crumble.
- Réaliser la crème de cajou selon la recette utilisée pour la tomate farcie crue (voir p. 88), et y ajouter la cannelle et le sirop d'agave.
- Hacher finement la pomme, la disposer dans le fond des verrines et recouvrir de crème de cajou à la cannelle.
- Pour finir, recouvrir d'une couche de crumble de noisettes et amandes.

idée +

Il est possible de varier les oléagineux – noix, noix de cajou, de pécan – et les fruits – poire, fraise, mangue... – utilisés pour le crumble ou d'y ajouter des graines de lin ou de chia (voir p.20).

Granité de pastèque à la menthe

Pas vraiment express en raison du temps de prise au congélateur, mais très simple à réaliser, ce granité léger et frais sera une gourmandise très appréciée en cas de forte chaleur ou après un repas copieux.

Pour 6 personnes

- **600 ml de jus de pastèque filtré (soit une petite pastèque)**
- **60 ml de jus de citron (un gros citron environ)**
- **40 ml de sirop d'agave**
- **20 feuilles de menthe fraîche hachée**

Réalisation (10 min + 5 h de prise au frais)

- Avec une cuillère, récupérer la chair de la pastèque, la mixer puis filtrer le jus.
- Ajouter 60 ml de jus de citron et 40 ml de sirop d'agave (ou davantage pour un goût plus sucré).
- Ajouter la menthe fraîche hachée.
- Verser le mélange dans un saladier ou un bac en plastique et le placer au congélateur.
- Gratter à la fourchette tous les quarts d'heure jusqu'à obtention d'un granité (environ 5 h).

idée +

Oser les mariages melon-verveine, pêche- romarin, fraise-basilic, citron-menthe, thé vert et agrumes...

Soupe froide de concombre à l'aneth

Une association classique qui plaît toujours ! Voici une version végétale de la petite soupe froide réalisée avec un lait d'amande pour une douceur incomparable.

Pour 2 personnes

- **1 concombre**
- **300 ml de lait d'amande non sucré**
- **3 cs d'aneth frais haché**
- **une petite gousse d'ail**
- **sel, poivre**

Réalisation (15 min)

• Éplucher et épépiner le concombre, le couper en morceaux.
• Dans un saladier, mettre le concombre coupé, verser le lait d'amande, presser la gousse d'ail sur le mélange et ajouter l'aneth. Mixer à l'aide d'un mixeur-plongeur. Saler et poivrer selon votre goût.
• Laisser au frais une dizaine de minutes et consommer aussitôt.

idée +

Cette soupe froide peut être réalisée en remplaçant l'aneth par de la menthe. Un mélange des deux aromatiques est également possible. Pour une soupe plus épaisse, utiliser du fromage blanc de soja. Pour un été très chaud, servir cette soupe avec des glaçons !

soupe froide de concombre à l'aneth

Soupe de fraises et sa crème de menthe

Un dessert frais et léger idéal pour l'été, à savourer sans modération !

Pour 4 personnes

- **800 g de fraises équeutées et lavées**
- **6 c. à s. de crème végétale (ici soja)**
- **30 feuilles de menthe fraîche**
- **2 c. à s. de sucre de canne blond**

idée +

Pour une note plus originale, réaliser une crème à la cannelle ou servir la soupe de fraise avec des feuilles de basilic. Durant les fortes chaleurs, servir la soupe avec quelques glaçons.

Réalisation (5 min)

• Couper et mixer les fraises.
• Mixer la crème végétale avec les feuilles de menthe préalablement hachées et le sucre.
• Verser 2 c. à s. de crème de menthe sur chaque assiette de soupe. Servir bien frais.

Tartare de fenouil-pomme cranberries à l'orange

Fraîcheur et énergie sont les mots clés de cette recette simple mais subtile qui associe douceur et caractère. Rapide à réaliser, elle est parfaite pour les repas de midi où l'on n'a pas le temps de cuisiner et pour l'été.

Pour 2 personnes

- **½ bulbe de fenouil**
- **30 g de cranberries hachées**
- **½ pomme**
- **2 oranges**
- **1 c. à c. moutarde**
- **6 c. à c. jus d'orange**
- **4 c. à c. huile d'olive**
- **2 c. à c. jus de gingembre (si vous n'avez pas de centrifugeuse ou d'extracteur de jus, vous pouvez passer votre gingembre épluché et coupé au presse ail pour récupérer son jus)**

Réalisation (10 min)

• Couper le fenouil et la pomme en dés. Hacher grossièrement les cranberries.
Mélanger le fenouil et la pomme coupés avec les cranberries dans un saladier.

• Éplucher et couper l'orange en tranches, réserver.
Presser la deuxième orange et prélever 4 c. à c., les verser dans le saladier et mélanger.

• Placer une nonette (cercle en plastique ou en métal) sur une assiette et remplir à mi-hauteur avec le mélange au fenouil.
Bien tasser.

• Former une couche avec les tranches d'orange et remplir jusqu'en haut avec le mélange au fenouil en tassant bien.

Pour la sauce

Mélanger la moutarde avec 6 c. à c. de jus d'orange et ajouter progressivement en battant bien 4 c. à c. d'huile d'olive. Ajouter pour finir le jus de gingembre frais. Vous pouvez presser du gingembre frais (épluché) à l'aide d'un presse-ail pour les petites quantités comme ici.

Pour servir

Retirer doucement la nonette et verser la sauce orange-gingembre sur le tartare.

idée +

D'autres tartares de légumes parfumés peuvent être confectionnés sur le même principe : courgette/menthe/sésame ; carotte/orange/cumin ; tomate/oignons nouveau/basilic... sans oublier les versions sucrées 100% fruits !

tartare de fenouil-pomme cranberries à l'orange

Tartine bistrot

La fameuse tartine bruxelloise servie dans les bistrots belges est d'une simplicité enfantine. Elle n'en est pas moins délicieuse. La voici dans une version végétale légèrement revisitée. Rafraîchissante et nutritive, elle constitue un parfait en-cas sain et léger.

Pour 2 tartines

- **2 tranches de pain épaisses**
- **une poignée de radis**
- **¼ de concombre**
- **1 yaourt de soja**
- **un oignon nouveau**
- **1 c. à s. de jus de citron**
- **sel et poivre**

Réalisation (5 min)

• Dans un bol mélanger le yaourt avec le jus de citron. Saler et poivrer.
• Émincer l'oignon nouveau, couper en fines tranches le radis et le concombre.
• Ajouter l'oignon nouveau au yaourt et mélanger de nouveau.
• Tartiner le pain avec le mélange de yaourt et disposer les tranches de légumes par-dessus.

idée +

Rajouter du poivre en grains grossièrement concassé, des graines de fenouil ou des graines germées pour donner plus de saveur. Utiliser des pains originaux pour varier les plaisirs : focaccia aux herbes, ciabatta aux olives, pain aux noix, aux graines de tournesol Idéal pour accompagner une soupe de légumes.

Tofu brouillé à l'indienne

Pour un repas sur le pouce ou un brunch entre amis, ce tofu surprendra par son fondant et ses saveurs lointaines. Ressemblant à s'y méprendre à de l'œuf brouillé, il le remplacera parfaitement dans vos sandwichs ou toute autre recette.

Pour une assiette

- **250 g de tofu ferme**
- **huile d'olive**
- **½ oignon**
- **½ poivron vert**
- **½ c. à c. d'ail en poudre**
- **½ c. à s. de levure maltée**
- **1 c. à c. de curcuma**
- **½ c. à c. de paprika**
- **½ c. à c. de moutarde**
- **1 c. à s. de crème soja**
- **1 c. à c. de cumin en poudre**
- **½ c. à c. de fenugrec en poudre**
- **½ c. à c. de poivre noir moulu**
- **1 pincée de cardamome moulue**
- **sel**

Réalisation (10 min)

• Dans un saladier, émietter le tofu. Couper l'oignon et le poivron en dés. Réserver.

• Verser toutes les épices, la levure maltée, la crème soja dans le saladier. Bien mélanger. Ajouter ensuite l'oignon et le poivron.

• Dans une poêle à feu moyen, faire chauffer 1 c. à s. d'huile d'olive et faire cuire le tofu brouillé 5 bonnes min en remuant constamment.

idée +

Tofu brouillé aux asperges vertes et pignons, au tempeh fumé et petits pois, à la provençale, tout est possible avec cette base de tofu, comme de réaliser des farces pour sandwichs, petits farcis, riz aux légumes...

Conseil: pour les enfants, il vaut mieux réaliser un tofu brouillé nature. Ajouter simplement de la crème soja, de la levure maltée, du curcuma, et éventuellement une pointe de moutarde.

tofu brouillé à l'indienne

Tomate farcie crue

Crémeuse à souhait, cette version sans cuisson de la tomate farcie est simple à réaliser et vous surprendra par ses arômes. Elle se décline en entrée consistante ou en plat léger accompagné d'une salade.

Pour 2 personnes

- **2 tomates moyennes**
- **50 g de poivron rouge**
- **2 c. à s. de roquette finement hachée**
- **2 c. à s. de graines germées de poireaux**
- **100 g de noix de cajou**
- **25 ml de jus de citron**
- **50 ml d'eau**
- **1 c. à c. d'huile d'olive**
- **sel et poivre**

Réalisation (10 min)

- Dans le bol du mixeur placer 100 g de noix de cajou, 25 ml de jus de citron et 25 ml d'eau. Mixer.
- Ajouter à nouveau 25 ml d'eau et mixer de nouveau.
- Couper les poivrons en petits dés et hacher la roquette.
- Dans un grand bol, mélanger la crème de cajou avec les poivrons et la roquette.
- Ajouter les graines germées de poireaux, saler et poivrer.
- Couper le haut des tomates et évider l'intérieur à l'aide d'une petite cuillère. Remplir les tomates avec la farce et servir.

idée +

Ne pas jeter la pulpe de tomate, la conserver jusqu'au soir pour réaliser une sauce. On peut aussi la congeler ou la manger sur le champ !

Variantes : avec une farce à base de noix de cajou, on peut créer ses propres recettes de tomate farcie : ail et fines herbes, tomates séchées et thym, oignons nouveaux et basilic frais...

tomate farcie crue

5

100% plaisir

Brownie

Moelleux, fondant, mais relativement léger comparé au brownie traditionnel, sans en perdre ni la texture ni le goût, ce brownie-là sera un allié gourmandise aussi bien pour les anniversaires que les repas improvisés grâce à sa rapidité de préparation.
Pour être gourmand sans culpabiliser !

Pour 8 à 10 personnes

Secs

- **250 g farine de blé type 65**
- **350 g de sucre de canne blond**
- **2 c. à c. rases de levure sans phosphates**
- **1 pincée de sel**

Humides

- **200 g de chocolat noir**
- **80 g de margarine**
- **8 c. à s. de compote de pommes**
- **100 ml de lait végétal de votre choix**

Garniture

- **50 g de chocolat noir brisé**
- **noix de pécan ou noix**

Réalisation (40 min)

• Préchauffer le four à 180°.

• Dans un saladier, mélanger les ingrédients secs. Dans une casserole, faire fondre dans un fond d'eau le chocolat noir à feu doux.

• Ajouter la margarine, mélanger pour obtenir une consistance crémeuse et homogène.

• Éteindre le feu, ajouter la compote, en mélangeant bien, puis le lait végétal. Bien mélanger de nouveau.

• Verser ce mélange dans un grand saladier. Y incorporer petit à petit le mélange sec en touillant sans arrêt.

• Briser le chocolat (éventuellement le couper en petits cubes), casser les noix en petits morceaux et les ajouter à la pâte.

• Chemiser un moule rectangulaire de papier sulfurisé et y verser le mélange.

• Cuire 25 min à 180° chaleur tournante.

Pour vérifier la cuisson, planter un couteau au centre : si la lame ressort propre le gâteau est cuit.

idée +

Réaliser des mini-brownies individuels en faisant cuire la pâte dans des caissettes en papier ou des moules à mini-cakes ou à muffins. Le temps de cuisson sera plus court.

Financier pistache-framboise

Un mariage tout en finesse pour ces financiers aussi savoureux que colorés.

Pour 10 financiers

- 2 c. à s. de graines de lin et 2 c. à s. d'eau
- 2 c. à s. de lait végétal + 1 c. à s. de fécule de maïs
- 25 g de poudre de pistache
- 20 g de purée d'amandes blanches
- 20 g de margarine
- 60 g de sucre glace
- 40 g de farine
- ½ c. à c. de matcha
- 1 c. à c. de poudre à lever sans phosphates
- 20 grosses framboises congelées

Réalisation (12 minutes)

• Réduire les pistaches en poudre. Mixer les graines de lin avec l'eau, puis mélanger aux pistaches dans un saladier.

• Ajouter la fécule, le lait et le sucre. Mélanger le tout.

• Incorporer ensuite la purée d'amande et la margarine fondue à feu doux.

• Ajouter le matcha et la levure et remuer. Verser la farine petit à petit en mélangeant bien.

• Enduire les moules à financiers de margarine et remplir aux trois quarts de pâte.

• Disposer deux framboises sur chaque financier en appuyant légèrement.

• Faire cuire 12 min dans un four préalablement préchauffé à 200° C.

Cuisson : les financiers doivent avoir bien levé et être dorés sur les coins.
Laisser refroidir avant de démouler.

astuces

Le matcha (thé vert en poudre) va donner une couleur très verte pour bien rappeler la pistache. Avec la quantité indiquée, son goût sera presque indécelable, mais il se marie lui aussi parfaitement avec la framboise. Ne pas hésiter à doubler la dose pour un goût plus prononcé.
Les framboises surgelées vont cuire moins vite, elles resteront donc entières et fondantes sans rendre trop de jus.

financier pistache-framboise

Petite glace à la fraise

Léger et absolument délicieux, ce sorbet au bon goût de « fraises à la crème » est si simple qu'il peut être réalisé avec de jeunes enfants.

Pour un bac de 750 ml

- **500 g de fraises**
- **300 ml de crème végétale**
- **6 c. à s. de sucre blond de canne non raffiné**

Réalisation (10 min + temps de prise de la glace)

• Laver et équeuter les fraises. Les placer dans le bol du mixeur ou un saladier.
• Ajouter la crème et le sucre. Mixer.
• Si vous utilisez une sorbetière ou une turbine à glace, suivre les instructions de votre machine. Sinon, placer au congélateur dans un bac en plastique (avec couvercle) et mélanger toutes les demi-heures pendant 5 h.
Pour une glace réalisée sans sorbetière, la sortir 5 min avant de la servir pour la ramollir un peu.

idée +

Ajouter un peu de cannelle ou de fève de tonka pour une glace encore plus gourmande.

Madeleines à la bergamote

Ces petites madeleines délicatement parfumées sauront réunir petits et grands pour un moment de gourmandise partagée.

Pour 15-20 madeleines

- **3 c. à s. de fécule de maïs et 3 c. à s. d'eau**
- **80 g de sucre**
- **50 g de margarine**
- **½ c. à c. de poudre à lever sans phosphate**
- **½ c. à c. de bicarbonate de soude**
- **1 pincée de sel**
- **4 gouttes d'huile essentielle de bergamote**
- **100 g de farine**

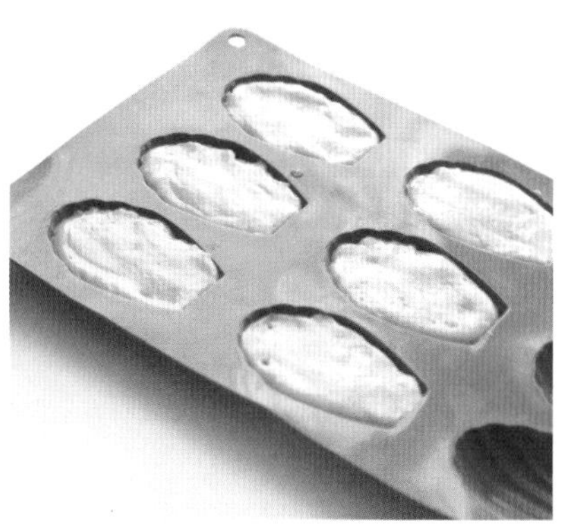

Réalisation (10 min + 2 h de repos + 8 min de cuisson)

• Faire fondre la margarine à feu doux.

• Dans un saladier, mélanger au fouet la fécule et l'eau.
Verser le sucre et mélanger.

• Ajouter la levure, le bicarbonate et le sel, fouetter, le mélange doit devenir mousseux. Incorporer la margarine fondue et bien mélanger.

• Ajouter la bergamote. Verser petit à petit la farine en fouettant bien.

• Laisser reposer la pâte 2 h.

• Enduire les moules à madeleines de margarine et remplir aux deux tiers de pâte. Lisser avec le dos d'une cuillère.

• Enfourner dans un four préchauffé à 220° C pendant 8 min (chaleur non tournante).

idée +

Vous pouvez parfumer vos madeleines avec d'autres huiles essentielles, comme de l'orange douce, du citron...

madeleines à la bergamote

Muffin choco-noisette

Un muffin fondant avec une pâte noisette aux éclats de chocolat. De la gourmandise à l'état pur.

Pour 10 muffins

- **15 cl de lait de soja**
- **2 c. à c. de vinaigre de cidre**
- **50 g de margarine**
- **100 g de purée de noisettes**
- **125 g de sucre**
- **1 c. à c. de poudre à lever sans phosphate**
- **1 c. à c. de bicarbonate de soude**
- **¼ de c. à c. de sel**
- **165 g de farine de blé T65**
- **100 g de chunks (grosses pépites de chocolat) ou 100 g de chocolat coupé en gros morceaux**

Réalisation (40 min)

• Dans un saladier, mélanger le lait de soja et le vinaigre et laisser reposer 5 min.

• Dans une casserole, faire fondre la margarine puis ajouter la purée de noisettes, le sucre, et bien remuer.

• Verser le tout dans le saladier. Ajouter la poudre à lever, le bicarbonate de soude et le sel. Mélanger. Incorporer petit à petit la farine en touillant sans arrêt. Ajouter les chunks.

• Disposer des caissettes en papier dans des moules à muffin et les remplir aux trois quarts.

Faire cuire à 180° C 20-22 min.

Panna cotta mangue-coco

Version exotique de ce dessert italien réalisé avec du lait de coco et une compotée de mangue caramélisée.

Pour 2 personnes

- **1 mangue bien mûre**
- **2 c. à s. de sucre de canne**
- **200 ml de lait de coco**
- **2 c. à s. de sirop d'agave**
- **2 g d'agar-agar**
- **1 c. à s. de noix de coco râpée pour la déco**

Réalisation (1 h + 1 h de repos)

• Dans une casserole, mélanger le lait de coco, l'agar-agar et le sirop d'agave au fouet. Porter à ébullition 2 min et verser dans des ramequins ou verrines puis laisser refroidir avant de mettre au frigo environ 1 h.

• Pendant ce temps réaliser la compotée :

- Couper les trois quarts de la mangue en dés et les faire cuire à feu doux dans un fond d'eau.
- Veiller à ce qu'il y ait toujours un peu d'eau sinon la compotée risque d'attacher et remuer régulièrement.
- Au bout de trois quarts d'heure, la compotée est cuite. Ajouter le sucre et laisser caraméliser quelques minutes en remuant.
- Sortir du feu et laisser refroidir, puis mixer grossièrement.

• Sortir les panna cotta fermes du frigo et déposer la compotée de mangue en couche sur le dessus. Décorer avec la mangue restante et de la noix de coco râpée. Le montage se fait juste avant de servir. Servir frais.

idée +

Décorer avec des gros copeaux de chocolat noir.
Réaliser une purée crue de fruits de la passion pour varier.

les fruits et légumes de saison

printemps

	AVRIL	MAI	JUIN
fruits	Pomme, Kiwi, Rhubarbe, Citron, Clémentine, Pomelo	Fraise, Cerise, Pomelo, Rhubarbe	Fraise, Framboise, Cerise, Abricot, Melon, Pêche, Pomelo
légumes	Asperge, Bette, Épinard, Céleri, Oignon blanc, Fève, Radis rose, Radis noir, Poireau, Aillet, Chou, Carotte, Endive	Chou-fleur, Ail, Radis rose, Asperge, Artichaut, Chou, Pomme de terre, Oignon blanc, Céleri branche, Petits pois, Fève, Fenouil, Carotte, Aillet, Poireau, Navet	Brocoli, Ail, Radis rose, Chou, Concombre, Poireau, Artichaut, Bette, Betterave, Fenouil, Tomate, Oignon blanc, Pomme de terre, Haricots verts, Courgette, Aubergine, Petits pois, Poivron, Fève, Carotte, Navet, Céleri

été

	JUILLET	AOÛT	SEPTEMBRE
fruits	Abricot, Brugnon, Cassis, Cerise, Fraise, Framboise, Melon, Prune, Poire, Figue, Myrtille, Pêches, Nectarine, Pastèque	Abricot, Pêche, Prune, Raisin, Melon, Pastèque, Fraise, Figue, Framboise, Poire, Pomme, Mirabelle	Coing, Figue, Raisin, Noix fraîches, Pêche, Prune, Pastèque, Melon, Poire, Pomme, Mûre
légumes	Brocoli, Radis rose, Artichaut, Navet, Concombre, Fenouil, Bette, Oignon, Petits pois, Potiron, Aubergine, Tomate, Courgette, Fève, Carotte, Céleri	Brocoli, Radis, Concombre, Artichaut, Pomme de terre nouvelle, Échalote, Oignon jaune, Oignon blanc, Haricots verts, Maïs, Navet, Petits pois, Potimarron, Poivron, Aubergine, Tomate, Courgette, Haricots à écosser, Ail, Chou, Bette ,Poireau, Carotte, Fève	Concombre, Courge, Haricots verts, Maïs, Épinard, Petits pois, Potimarron, Céleri, Poivron, Courgette, Tomate, Aubergine, Échalote, Oignon jaune, Ail, Haricots à écosser, Artichaut, Fenouil, Carotte, Poireau, Bette, Navet, Chou, Radis

Manger des fruits et des légumes de saison pour :

- avoir des produits qui ont du goût !
- réduire son empreinte écologique
- retrouver le sens des saisons
- (re) découvrir des légumes oubliés
- savourer enfin le retour des tomates
- varier les plaisirs en transformant ses recettes au fil des mois

	automne			hiver		
	OCTOBRE	**NOVEMBRE**	**DÉCEMBRE**	**JANVIER**	**FÉVRIER**	**MARS**
fruits	Pomme, Poire, Raisin, Noix fraîches, Châtaigne, Pêche de vigne, Figue, Coing, Noix, Framboise, Myrtille, Mûre	Châtaigne, Kaki, Clémentine, Mandarine, Noix, Poire, Kiwi, Raisin, Pomme	Kiwi, Clémentine, Pomme, Noix, Poire, Mandarine	Pomme, Poire, Kiwi, Agrumes (citron, clémentine, mandarine pomelo, orange), Noix	Pomme, Poire, Kiwi, Agrumes	Pomme, Poire, Kiwi, Agrumes
légumes	Concombre, Courge, Haricots à écosser, Radis, Artichaut, Fenouil, Navet, Haricots verts, Maïs, Épinard, Petits pois, Navet, Ail, Céleri, Potimarron, Aubergine, Echalote, Carotte, Poireau, Panais, Poivron, Courgette, Tomate, Oignon, Bette, Chou	Chou, Échalote, Céleri, Radis, Courge, Navet, Panais, Brocoli, Oignon jaune, Artichaut, Fenouil, Potimarron, Carotte, Poireau, Chou-rave, Rutabaga, Topinambourt	Chou, Ail, Radis noir, Bette à carde, Potimarron, Courge, Oignon jaune, Fenouil, Épinard, Salsifis, Navet, Panais, Carotte, Poireau, Echalote, Topinambour, Chou-rave, Rutabaga	Épinard, Potimarron, Courge, Bette, Carotte, Céleri, Chou, Échalote, Oignon, Ail, Navet, Poireau, Panais, Betterave, Radis noir, Endive, Chou-rave, Rutabaga, Topinambour, Crosnes, Pomme, Poire, Kiwi, Agrumes	Épinard, Potimarron, Courge, Bette, Carotte, Céleri, Chou, Échalote, Oignon, Ail, Navet, Poireau, Panais, Betterave, Radis noir, Endive, Chou-rave, Rutabaga, Topinambour, Crosnes	Épinard, Potimarron, Courges, Bette, Céleri, Poireau, Panais, Chou, Navet, Oignon blanc, Radis noir, Radis rose, Endive, Asperge

les astuces pour végétaliser vos plats préférés

je remplace	par
La viande ou le poisson	Du tofu, du seitan, du tempeh, des protéines de soja texturées, des légumineuses
Le lait	Du lait végétal • Doux : soja, avoine, riz, amande • Parfumé : quinoa, noisette • Aromatisé : vanille, chocolat • Enrichi, en calcium, vitamine B12, etc.
La crème	De la crème végétale : soja, riz, amande, épeautre, avoine, coco...
Le beurre	• De la margarine bio 100 % végétale • Des huiles végétales première pression à froid • Des purées d'oléagineux, amande, cajou, noisette, sésame...
Les œufs	• Du tofu soyeux (mayonnaise, mousses, quiches...) ou du tofu ferme (tofu brouillé) • De la fécule (pâtisserie) • Des graines de lin moulues (pâtisserie) • De la compote (pâtisserie)
Le miel	Sirop d'agave ou d'érable, sirops de céréales (blé, orge, maïs, riz...) ou de fruits (dates, pommes...)
La gélatine	De l'agar-agar
Les bouillons et fonds de viande	Bouillon de légumes et miso

Noix de cajou

Légumineuses

Lait végétal

Tofu

Sirop d'agave

Agar-agar

Pour aller plus loin

Quelques liens pour approfondir sur les questions de nutrition/santé, d'écologie ou sur les animaux.

vegetarisme.fr/ressources
L'Association végétarienne de France propose une base documentaire très bien fournie pour répondre à toutes vos questions en matière de nutrition et de santé. Des fiches ou des brochures sont à télécharger pour les consulter à votre aise.

alimentation-responsable.com/position-de-lapsares
L'Association des professionnels de la santé pour une alimentation responsable (APSARes) et sa position sur le végétarisme et le végétalisme.

viande.info
Tout savoir sur l'impact de la production de viande et de produits laitiers, sur l'environnement, mais aussi la santé, les animaux.

vegplanete.com
400 raisons de devenir végétarien. Une mine d'infos.

vegetarisme.ch
L'Association suisse pour le végétarisme propose une belle documentation en français sur son site, et notamment un article très intéressant sur le mythe de la carence en protéines.
vegetarismus.ch/heft/f2002-2/proteines.html

l214.com
Association de défense des animaux d'élevage, L214 réalise des reportages en caméra cachée dans les élevages, propose aussi de l'information sur son site et vous invite à des actions à ses côtés.

droitsdesanimaux.net
Association de défense des animaux, DDA milite pour l'abolition de l'exploitation animale sous toutes ses formes.

Remerciements

- Merci à Charlotte Gallimard pour avoir cru en ce projet et m'avoir conseillée durant sa réalisation.
- Merci à Sébastien et Laura pour leurs conseils et leur amitié.
- Merci à Garance pour m'avoir poussée à faire connaître mon blog !
- Merci à ma maman pour son inconditionnel soutien et merci à ma grand-mère, pour tout.
- Merci aux lecteurs de *100 % Végétal* pour leur fidélité et leurs retours.

Retrouvez Marie Laforêt sur son blog **www.100-vegetal.com**

N° d'édition : 261705

Direction artistique
Néjib Belhadj-Kacem
Conception graphique
Oya Lydia Bierschwale

Impression / façonnage
GR Presse, Athènes

Achevé d'imprimer en janvier 2014
Imprimé en Grèce, Union européenne

TOUT BEAU
TOUT BiO